D1578854

Dirección Editorial:
Trini Marull

Edición:
Cristina González

Ilustraciones:
Birgit Rieger

Traducción:
Rosa Pilar Blanco

Diseño de cubierta:
Miguel Ángel Parreño

Título original: *Hexe Lilli im Fußballfieber*
© Arena Verlag GmbH, Würzburg, 1998
    Este libro se ha negociado a través de Ute Körner Literary Agency, S. L., Barcelona
© Grupo Editorial Bruño, S. L., 1999
    Juan Ignacio Luca de Tena, 15
    28027 Madrid

ISBN: 978-84-216-3623-7
Depósito Legal: M-569-2007
Impresión: HUERTAS, Industrias Gráficas, S. A.
Printed in Spain

KNISTER

KiKA
Superbruja

loca por
el fútbol

Bruño

9ª edición

Al final de este libro
encontrarás tres estupendos
trucos futbolísticos.
Pero no seas impaciente
y… ¡espera a llegar
a la página 123!

Ésta es Kika, la superbruja protagonista de nuestra historia. Tiene más o menos tu edad y parece una niña corriente y moliente. Bueno, en realidad lo es…, aunque no del todo. Y es que Kika posee algo muy poco común: ¡un libro de magia!

Una mañana, Kika encontró ese libro junto a su cama. ¿Que cómo llegó a parar allí? Ni idea.

Kika sólo sabe dos cosas: que la atolondrada bruja Elviruja se lo dejó olvidado en un descuido, y que el libro contiene auténticos encantamientos y loquísimos trucos de bruja. Kika ya ha probado algunos. Pero ¡cuidado…!

Será mejor que no intentes imitar los conjuros de Kika, porque…

Si al leer una palabra te equivocas,
tu cepillo de dientes se convertirá en escoba;
tu profesora, en una monstrua abominable,
y el helado que te estás comiendo,
en un pepinillo en vinagre.

Por si acaso, Kika Superbruja no le ha hablado a nadie de su fantástico libro. Es, como si dijéramos, una bruja auténtica, pero secreta. Ha ocultado la existencia del libro de magia incluso a Dani, su hermano pequeño, y esto no le ha resultado nada fácil, pues Dani es muy, pero que muy curioso, y a veces hasta puede resultar algo plasta. Pero, a pesar de todo, Kika le adora.

Bueno… y a continuación, ¡sumérgete en el placer de la superlectura

con las aventuras de Kika Superbruja!

Capítulo 1

Kika está sentada en su habitación leyendo las páginas deportivas del periódico. Le interesan los resultados futbolísticos del fin de semana y la clasificación del campeonato de liga. Está empeñada en aprenderse de memoria los resultados.

De pronto, Dani irrumpe en su cuarto —por supuesto, sin llamar a la puerta—. Todavía no sabe leer muy bien, pero por las fotos del periódico enseguida averigua lo que Kika está leyendo.

—¿Te has convertido de repente en una forofa del fútbol? —le pregunta a su hermana.

—Bueno... ¿y por qué no?

La verdad es que le resultaría difícil explicarle a Dani el porqué de su repentino interés por ese deporte. Y es que, en realidad, lo que tanto le entusiasma no es el fútbol en sí, sino ciertas cosas relacionadas con él. Mejor dicho, una cosa en concreto: ¡Kika está enamorada!

Y, como es lógico, eso a Dani no le importa.

Además, tampoco lo entendería, porque él sabe de amor aún menos que de fútbol.

El caso es que Kika está enamorada de Andrés. Andrés es un chico del mismo curso que Kika, aunque va a otra clase, y también es, con mucha diferencia, el mejor jugador del equipo de fútbol del colegio.

—Si una está enamorada de un futbolista, tiene que entender algo de fútbol —asegura Mónica, la mejor amiga de Kika.

Y Mónica debe de saberlo bien, porque lleva seis semanas siendo la novia de Iván y ya ha recibido tres auténticas cartas de amor.

—Andrés no sabe la suerte que tiene de que estés enamorada de él… —dice Mónica—. Por cierto, ¿a qué esperas para convencerle de que también se enamore de ti?

Así de lioso es eso del amor. Quizá demasiado lioso para alguien como Andrés…

Porque a él, como a la mayoría de los chicos, sólo le interesa el fútbol.

—Las chicas tenemos que tomar las riendas del juego —afirma Mónica.

—Hay que ver, Mónica… ¡En asuntos de amor eres un auténtico líbero! —comenta Kika, asombrada.

Pero Mónica no entiende el cumplido. ¿Cómo va a saber ella que, en el fútbol, el líbero es el director del juego? La verdad es que Kika también hace muy poco que lo sabe.

Mónica, en cambio, entiende mucho de caballos, pero resulta que su novio Iván no los soporta porque dice que apestan. Iván se lo confesó hace poco a Kika y ésta se pasó mucho tiempo pensando si debía decírselo o no a su mejor amiga. Al final no se atrevió porque Mónica, que está muy enamorada, le dijo que, por muy difícil que resultara, conseguiría que algún día Iván montase a caballo.

Sí, así de embrollado es eso del amor. Y, por ese motivo, Kika no puede revelarle su secreto a Dani.

—Anda, cuéntame qué dice ese artículo del periódico —le suplica su hermano.

Para que la deje en paz, Kika le lee un artículo de un partido de liga. Empieza por el sitio en que Dani la interrumpió:

—«… Pero el equipo anfitrión no se dio por vencido. Al final ejerció una fuerte presión y el adversario se encerró en su área…»

—¿Es que se puede encerrar a alguien en una cosa así? —pregunta Dani.

Kika no le presta atención y sigue leyendo el artículo:

—«… Sólo en contadísimas ocasiones el equipo visitante logró liberarse del cerco y llegar a la portería contraria. Pero entonces el cerrojo funcionó sin piedad…»

—¿A qué cerrojo se refiere?

Kika resopla y pone los ojos en blanco, pero no permite que Dani la distraiga:

—«… La defensa de los visitantes era compacta. Los verdiazules se precipitaron desesperadamente hacia delante…, pero la portería de los visitantes estaba cerrada a cal y canto.»

—¿Y cómo se puede cerrar así una portería?

—No es que ellos la cierren con cal y con cantos de verdad. Es sólo una forma de hablar —le explica Kika.

—¿Y cómo la cierran entonces? Yo cerré una vez la jaula de mi hámster con un trozo de alambre para que no se escapara…

Kika vuelve a poner los ojos en blanco y no sabe si echarse a reír o a llorar.

—Decir que la portería estaba cerrada a cal y canto significa que la defensa estaba bien dispuesta y ordenada en el área, de forma que el enemigo no pudo atravesarla.

—¿El área, dices? ¡Yo creía que jugaban en un campo de fútbol, no en un área!

Kika resopla profundamente.

—¿Me dejas seguir leyendo de una vez? Me gustaría enterarme de si el equipo verdiazul consiguió romper o no la línea defensiva.

—Vale, vale... —responde su hermano, aunque luego añade—: ¿Sabías que está prohibido jugar al fútbol en algunas zonas de mi cole?

Dani parece haber perdido ya todo interés por el artículo del periódico y sale de la habitación de su hermana tan repentinamente como había entrado.

Por fin, Kika puede volver a enfrascarse en la lectura del periódico.

Quiere estar muy bien informada para demostrar sus conocimientos al día siguiente en el colegio. Ya ha visto en la tele los reportajes de los partidos de primera y segunda división, y ahora vuelve a estudiar a fondo todos los resultados y las clasificaciones para aprendérselos de memoria.

—¡Uf! ¡Menudo esfuerzo! —exclama una vez que lo ha memorizado todo.

Kika ya no teme dirigirse a Andrés en el patio del colegio cuando esté hablando de fútbol con sus compañeros.

Si los chicos se ponen tontos con ella, les recitará uno tras otro todos los resultados y las clasificaciones de la liga y los dejará con la boca abierta.

A la mañana siguiente, sin embargo, las cosas no salen como Kika había previsto.

Durante el recreo, Andrés se reúne con los demás chicos en un rincón del patio, para hablar de fútbol, por supuesto…

Pero, a diferencia de otras veces, el tema de conversación no son los resultados de los partidos del fin de semana.

Hoy hablan de su propio equipo.

Porque muy pronto van a participar en el campeonato municipal. Todos los colegios envían al campeonato un equipo formado por los mejores jugadores de tercer y cuarto cursos.

En el colegio de Kika, la responsable de ello es la señorita Marina, que es profesora de Educación Física en varios cursos. Hoy la señorita Marina les ha comunicado a quiénes piensa alinear para el equipo del colegio. La mayoría de las propuestas cuentan con el respaldo de todos, pero en el caso de ciertos seleccionados y seleccionadas hay algún que otro desacuerdo…

—Eso es normal —les explica la señorita Marina—. En todos los equipos sucede lo mismo. Además, sólo se trata de una primera selección provisional. Si tenéis otras propuestas, comunicádmelas.

No es de extrañar que todos los hinchas del equipo del colegio estén tan nerviosos. ¿Ganarán por fin este año el campeonato municipal?

—Tenemos muchas posibilidades de obtener la copa —dice la señorita Marina—. Pero habrá que esforzarse…

Lo de las posibilidades es cierto, porque en la clase de Kika y en la de Andrés hay unos cuantos futbolistas estupendos. Y, por supuesto, Andrés se encuentra entre ellos.

—Es, sin duda, el mejor de todos —afirma Sara, y nadie mejor que ella para saberlo. Como portera, es una de las jugadoras más importantes del equipo.

Sara va a la misma clase de Kika y es la única de todo el colegio capaz de lanzar una pelota de béisbol a más de cuarenta metros de distancia.

La señorita Marina tiene a otras dos chicas en la lista: Marta y Nuria. En el caso de Nuria, todos los chicos están de acuerdo: jugará de defensa. Nuria es tan alta y fuerte que todos los delanteros del equipo adversario se asustarán ante ella. Cuando se enfada porque alguien intenta regatearla, sencillamente lo «pasa a cuchillo», como ella dice. En el fondo, Kika está convencida de que los chicos no dicen nada en contra de Nuria porque tienen miedo de que les «pase a cuchillo» en cualquier momento en el patio.

Con Marta, la cosa es diferente. Muchos no están de acuerdo con su elección.

—¡Sólo por lo deprisa que corre! —se quejan algunos.

Los expertos en fútbol tampoco están de acuerdo con algunos de los chicos seleccionados por la señorita Marina.

Y es que, en el fondo, un equipo escolar tampoco se diferencia demasiado de uno de la liga profesional...

Kika apenas participa en la discusión. Pero el simple hecho de estar tan cerca de Andrés resulta de lo más emocionante.

¡Si al menos él reparase en su presencia! Durante todo el recreo no la ha mirado ni una sola vez.

Kika espera la ocasión para hacer gala de sus nuevos conocimientos futbolísticos.

Cuando llegue ese momento, todos se quedarán con la boca abierta, en especial Andrés...

Mientras piensa en cómo llevar la conversación a los partidos del pasado fin de semana, manosea nerviosamente su ratoncito de peluche. Sin embargo, no parece que ese amuleto vaya a darle suerte en esta ocasión. ¿O tal vez sí? De repente se le cae de la mano y, antes de que pueda darse cuenta, Andrés se agacha a recogerlo.

—Qué ratoncito más mono —comenta Andrés al devolvérselo.

—Qué va… —se limita a replicar Kika, al tiempo que se pone colorada como un tomate.

Y, a partir de ese momento, ya no es capaz de decir ni pío.

¡Qué tontería! Pues claro que su ratoncito es mono. ¿Por qué le habrá contestado esa estupidez a Andrés?

Ni siquiera le ha dado las gracias…

—Gracias… —murmura entonces con un hilito de voz.

Pero Andrés ni siquiera la ha oído, y ya está otra vez a vueltas con el fútbol.

«No hay mal que por bien no venga», se dice Kika. ¡A saber lo que Andrés habría pensado de una chica con una vocecita tan ridícula!

Y luego vuelve a enfadarse por no habér-
sele ocurrido decirle algo más ingenioso.
¡Porras! Ha perdido la ocasión perfecta…

¿Debe volver a dejar caer su ratoncito? Pero ¿y si alguien se da cuenta de que lo hace adrede? ¡No, sería demasiado estúpido!

Aunque Andrés la ha mirado de verdad…, durante muy poco tiempo, las cosas como son, pero algo es algo… ¿Se habrá fijado en su camiseta nueva? Se la ha puesto a propósito para la ocasión. ¿Por qué no se le habrá ocurrido nada mejor que decirle? Bueno, al menos su amuleto de peluche le ha parecido mono.

Kika mira embelesada a Andrés y ya no oye absolutamente nada de lo que dicen los demás. Pero ¿qué pasará si alguien nota que le observa con tanta insistencia? Y, sobre todo, ¿qué pensará Andrés si se da cuenta? Enseguida se pone a mirar a otro lado. Y entonces capta una palabra: «Sporting.»

—El Sporting del Melonar también empleó un cuatro-tres-tres —acaba de decir Borja.

—¡De eso nada! —exclama Kika—. ¡El fin de semana quedaron dos a uno!

Todos se echan a reír, y Kika no entiende por qué. Repasa mentalmente los resultados de los partidos a la velocidad del rayo. Sí, el Real Ciruelo ganó por dos a uno al Sporting del Melonar, está completamente segura.

—¡El Sporting del Melonar perdió dos a uno contra el Real Ciruelo! —afirma, decidida.

De nuevo estallan las risas y Kika vuelve a ponerse colorada como un tomate. ¿Sería por tres a uno? ¿O habrá confundido al Sporting del Melonar con el Castañar Sporting? Eso ya le sucedió una vez... De pronto, ya no se siente tan segura.

—Estamos hablando del *sistema de juego,* ¿comprendes? —le explica Andrés.

Pero Kika no comprende nada de nada.

—¿Qué *sistema* es ése? —pregunta de nuevo con ese hilito de voz de niña cursi.

—¡Nos referimos a la defensa de cuatro jugadores! —exclama Borja—. ¿Tú no entender? ¿Tú ser de otra galaxia?

La verdad es que Kika no entiende ni jota. Sólo sabe que se están burlando de ella, y se siente completamente estúpida. Está furiosa con todos, hasta con Andrés. Él también se ha reído. Pero ¿por qué? Kika no se atreve a levantar la cabeza. No quiere mirar a nadie…, y a Andrés, menos. Da media vuelta y se marcha. ¿Qué porras será ese maldito *sistema de juego?*

Por fortuna, en ese momento suena el timbre que señala el fin del recreo y los alumnos regresan a sus clases. Kika imagina que ahora se convertirá en la comidilla del colegio y todos se burlarán de ella. ¡Porras, porras y más porras!

Ya en clase, casi se echa a llorar.

—¿Te encuentras mal, Kika? —le pregunta
la señorita Marina.

Pero Kika está tan ensimismada en sus
problemas que no escucha a la profesora.

—¡Kika! ¡Te estoy hablando!

—¿Eh...? ¿Cómo...? —tartamudea ella mientras hurga en sus bolsillos buscando un pañuelo—. No, no me pasa nada... Es que... me he atragantado.

Kika se suena la nariz con energía. ¡Le encantaría esconder la cara detrás del pañuelo! Afortunadamente, la señorita Marina la deja en paz.

Poco después, una nota con muchos dobleces aterriza en su mesa. Kika la desdobla rápidamente. Sólo hay tres palabras escritas en ella, entre signos de interrogación:

«¿Mal de amores?»

Kika arruga la nota a toda velocidad. Ha averiguado en el acto de quién procede: de su amiga Mónica, por supuesto, que se sienta dos filas detrás de ella.

Kika se vuelve hacia Mónica y, cuando asiente con la cabeza, su amiga pone un gesto de comprensión. Eso le hace sentirse algo mejor. Es fantástico tener una amiga que te entiende y que, además, es una auténtica experta en asuntos amorosos. De lo contrario, jamás hubiera adivinado tan deprisa el estado de ánimo de Kika.

Ya está a punto de hacer desaparecer la nota cuando vuelve a oír la voz de la señorita Marina:

—Veamos qué es eso tan importante —y con esa habilidad que los profesores tienen para estas cosas, le arrebata la nota de Mónica.

¡Oh, no! Kika mira desesperada a la señorita Marina. Menos mal que, en lugar de leer el papelito, la profesora se limita a guardárselo en un bolsillo.

Capítulo 2

39

El tiempo hasta el siguiente recreo se hace eterno. Cuando al fin suena el timbre, todos los chicos vuelven a precipitarse al patio. ¿Todos? No. Kika se ha quedado en su mesa.

«¿Qué voy a decirle a la señorita Marina?», se pregunta. «Seguro que se ríe de mí. ¡Mal de amores...! ¡Menuda tontería!» Al fin, saca fuerzas de flaqueza y avanza con la cabeza baja hasta la mesa de la profesora.

Pero resulta que allí hay alguien más: su amiga Mónica. No ha querido dejar a Kika sola ante el peligro y también ella ha ido a dar la cara delante de la profesora.

La señorita Marina está corrigiendo unos ejercicios y parece no haberlas visto. Al fin levanta la mirada y les pregunta:

—Y a vosotras dos, ¿qué os pasa?

—Es por… por… la nota —tartamudea Kika.

—Ah, claro, la nota… —la señorita Marina la saca de su bolsillo.

—Yo la escribí. Es culpa mía —explica Mónica—. Iba destinada a mi amiga Kika y es muy personal.

—Vaya, vaya, vaya… —murmura la señorita Marina mientras empieza a dar vueltas al papelito entre sus dedos.

—Yo no pretendía molestar… —se excusa Mónica, y extiende la mano abierta para que la profesora le entregue la nota.

—Es muy noble por tu parte tratar de interceder por tu amiga —dice la señorita

Marina sin soltar el papelito—. Pero si esta
notita iba dirigida a Kika, opino que debe ser ella quien la reciba —y le entrega a Kika el papelito lleno de dobleces sin haberlo leído.

Kika guarda la nota y murmura:

—Gracias.

—Y ahora… largo de aquí, que el recreo está a punto de acabar —dice la señorita Marina.

Kika y Mónica respiran aliviadas.

Como es lógico, a Kika ya no le quedan ganas de hablar de fútbol. Es más, preferiría no hablar de nada en absoluto.

Pero no es tan fácil hacer callar a Mónica…

—Cuando una se siente así, lo mejor es contárselo todo a alguien —le dice su amiga con una expresiva mirada.

—En realidad no tiene tanta importancia..., ¿sabes? —le explica Kika—. Sencillamente, me enfadé. Me lo imaginaba todo de color de rosa y la verdad es que no ha podido salir peor...

—¿Qué es lo que no ha podido salir peor?

—Lo del fútbol.

—No entiendo ni jota.

—Me había preparado a fondo..., había estudiado un montón..., porque quería hablar con Andrés. Pero todo ha salido fatal.

—Pero... *¿qué* es lo que ha salido fatal? —insiste Mónica.

—Pues todo, lo que se dice todo —repite Kika—. Han empezado a hablar de no sé qué *sistema* y luego todos se han burlado de mí.

—¿Que Andrés se ha burlado de ti?

—Sí, creo que sí.

Mónica mueve la cabeza con aire pensativo.

—El típico mal de amores —sentencia.

Kika se encoge de hombros. Ya no sabe qué hacer.

—Y como se rió de ti, ahora ya no le quieres… —continúa Mónica.

Kika primero dice que sí…, y acaba negando con la cabeza.

—¡Pues a ver si te aclaras, porque no hay quien te entienda!

—¡Ay…!, me siento muy confundida —comenta Kika con un suspiro de tristeza.

—Lo que te decía. ¡Son los típicos síntomas del mal de amores! ¿Y qué piensas hacer ahora?

—No lo sé —responde Kika.

—Ante todo, no debes ir detrás de él. Por mucho que le quieras.

—¿Y eso por qué?

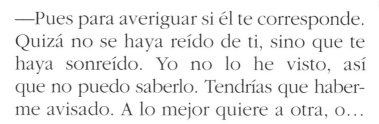

—Pues para averiguar si él te corresponde. Quizá no se haya reído de ti, sino que te haya sonreído. Yo no lo he visto, así que no puedo saberlo. Tendrías que haberme avisado. A lo mejor quiere a otra, o…

—… O sólo le interesa el fútbol —concluye Kika para interrumpir el parloteo de su amiga.

Pero Mónica se ha disparado y prosigue con sus consejos. A Kika, sin embargo, no le apetece escucharlos.

—Dijo «qué ratoncito tan mono»… —comenta en voz baja, casi para sí misma.

—¿Que dijo *quéééé…*? ¿Te llamó «ratoncito mono»? —y su amiga suelta un auténtico grito de alegría—: ¡Entonces te quiere, eso está claro!

—No, no. ¡No fue así! No me lo dijo a mí directamente, sino…

—¿Que no te lo dijo a ti? ¡Qué canalla! Entonces es que quiere a otra. ¡Me parece increíble!

—No, no… ¡No lo entiendes!

Pero Mónica no le da ocasión de explicarse. Habla sin parar, da consejos… Kika la escucha como quien oye llover hasta que por fin suena el timbre liberador.

Cuando regresan juntas a clase, Kika divisa a Andrés, que camina un buen trecho por delante de ella. Al verlo, siente un agudo pinchazo en la barriga. Pero… ¿quién es esa que va muy pegadita a él, riendo y cuchicheándole cosas al oído? ¡Es Marta! ¡Encima, eso…! El estado de ánimo de Kika vuelve a caer por los suelos.

A última hora toca Educación Artística. Y aunque a Kika le encanta pintar y hacer trabajos manuales, hoy no consigue entusiasmarse por la clase. Ha sido un mal día.

¿Qué habrá entre Andrés y Marta? En fin… Marta seguramente entrará en el equipo del colegio, y Kika, por el contrario… ¿Qué puede ofrecerle ella a Andrés?

De repente, Mónica se coloca justo a su espalda y le susurra al oído:

—He visto a esos dos juntos. Me da mucha pena por ti…

¡Fantástico! ¡Su amiga acaba de darle la puntilla! A pesar de que la quiere mucho, a Kika le entran ganas de estrangularla en ese momento…

Aunque, ¿y si Mónica tiene razón? No, Kika no está dispuesta a seguir dándole vueltas al mismo tema. Hunde su pincel en el color negro y empieza a dibujar…

Pero ¿qué es lo que está pintando? No lo sabe ni ella misma. Además, ¡le importa un bledo!

Concluida la clase, Kika se marcha por fin a casa.

Le encantaría meterse en la cama y taparse la cabeza con las sábanas. Pero todavía es muy temprano, y aún tiene que merendar, hacer los deberes…

Cuando por fin ha terminado sus tareas, Kika se tumba boca abajo sobre la cama, deprimida. De pronto, su madre entra en la habitación y se sienta a su lado. Y es que no ha tardado en darse cuenta de que a su hija le ocurre algo.

—Bueno, Kika, ¿qué es lo que te preocupa? —le pregunta.

—¡Ay…!, no lo sé.

—Vamos, dímelo… Estoy segura de que te pasa algo.

—Es una tontería.

—¿Ha ocurrido alguna cosa en el colegio?

—No. Bueno…, sí. Es una bobada. Aunque lo del patio ha sido horrible…

—¿Horrible?

—Preferiría no hablar de ello.

Kika suspira. Quiere olvidar lo sucedido con Andrés, y no le apetece hablar de ello.

—No será nada malo, ¿verdad? —insiste mamá mientras acaricia el pelo de su hija.

—No —responde Kika, que sonríe y apoya la cabeza en el regazo de su madre—.

Es que no quiero hablar de ello. Ni yo misma sé muy bien lo que me pasa. Además…

—Además, ¿qué?

—Bueno, no lo sé…

—Conozco esa sensación… Cuando tenía tu edad, con frecuencia me sucedía lo mismo —dice su madre lanzando un suspiro—. Se me ha ocurrido una idea. ¿Qué te parece si nos vamos tú y yo juntas al centro? Tengo que recoger un libro en la librería y después podríamos ir a tomar un helado. ¡Hace una eternidad que no salimos las dos solas!

—¿Y qué pasa con papá y con Dani?

—Papá volverá tarde de la oficina, y Dani ha quedado en ir a casa de un amigo. Además, creo que deberíamos hablar a solas más a menudo. Sólo tú y yo…

 —¡Genial! —exclama Kika, encantada.

Cuando entran en la librería, a Kika se le ocurre una idea.

—¿Tiene algún libro de fútbol que hable sobre *sistemas?* —le pregunta al librero.

Kika está de suerte, porque el librero le enseña en el acto la obra adecuada. Se titula *Fútbol con sistema.*

—Aquí viene todo —le explica a Kika—. Los distintos sistemas de ataque y defensa: cuatro-dos-cuatro, cuatro-tres-tres…

—¡Justo lo que buscaba! —exclama Kika, hojeando el libro.

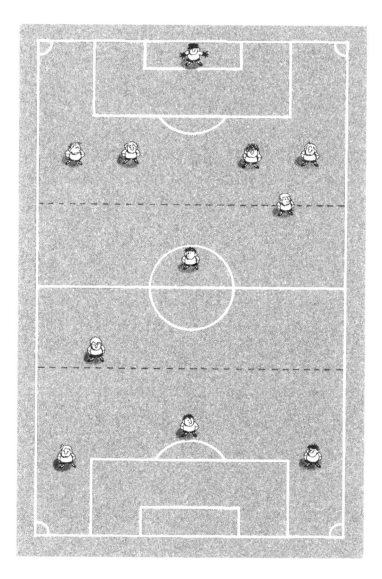

Nada más llegar a casa, Kika se sumerge en la lectura de su nuevo libro sobre *sistemas.*

A decir verdad, no resulta emocionante ni divertido, sino que es de lo más técnico.

Primero lee el capítulo titulado «Alineaciones tácticas», y enseguida comprende lo que querían decir los chicos al hablar de *sistema.* Es la forma de distribuir a los once jugadores de un equipo en el terreno de juego. En el sistema cuatro-tres-tres, por ejemplo, se coloca una cadena defensiva de cuatro jugadores ante el portero, otros tres se mueven por delante, sobre todo en la zona central del campo, y los tres restantes, que serán los delanteros que formen el ataque, se sitúan justo ante la portería enemiga.

Cuando se leen con atención las explicaciones que acompañan a los dibujos, todo resulta la mar de fácil. Kika le echa también un vistazo a algunos otros sistemas de juego y, a continuación, cierra el libro.

Entonces empieza a soñar que está en el patio del colegio, muy cerca de Andrés.

En su sueño, nadie se ríe de ella, y Andrés hasta le invita a tomar un helado. Van juntos a la heladería en la que ha estado esa misma tarde con mamá. ¡Qué bonito! Andrés y ella solos… Hablan de fútbol, de sistemas tácticos, y él parece muy impresionado… ¡Hasta que aparece Dani y lo interrumpe todo! Pero no en la heladería de su sueño, sino en la realidad. Entra como una tromba en la habitación de su hermana, y parece muy nervioso.

—¡Kika, tienes que ayudarme! —grita.

—¿Cuántas veces te he dicho que llames a la puerta antes de entrar? —le riñe ella.

—¡Pero es que es importante, y sin ti no lo conseguiré!

—¿De qué se trata? —pregunta Kika con tono de aburrimiento.

—Mientras tú ibas de compras con mamá, yo he estado en casa de Tony. Ya sabes quién es, ¿verdad? —añade Dani.

—Sí, tu mejor amigo.

—Justo. Bueno, pues resulta que su padre tiene que trabajar y por eso le es imposible... Su madre tampoco puede, porque debe cuidar de María, que tiene paperas... Sólo puede Tony, pero, claro, no le dejan ir solo... Tendría que acompañarle papá o mamá, ¡y entonces también podría ir yo!

—No entiendo una palabra de lo que dices —responde Kika.

—Seguro que tú también puedes venir, si te apetece. Tenemos las entradas, y si no vamos se perderán...

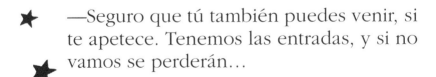

—Pero... ¿a qué entradas te refieres? ¿De qué porras me estás hablando? —pregunta Kika sin demasiado interés.

—¡Del partido de fútbol del domingo! ¡Tienes que ayudarme a convencer a papá o a mamá de que nos acompañe! —suplica Dani.

—¡Un momento! ¿Al fútbol? ¿Papá o mamá? Creo que a ti te falta un tornillo... ¡Pero si a ninguno de los dos les gusta!

—Juega la selección. Será algo fuera de serie... ¡Un partido internacional!

—Perdón, ¿cómo dices? —Kika ha sentido un repentino interés—. ¿He oído bien? ¿Que tienes entradas para un partido internacional?

—Sí, ¡y gratis! Al padre de Tony se las han regalado en su empresa. Pero él no puede ir…

—¿Y tiene muchas?

—Claro. Una para Tony, otra para mí, otra para papá o mamá, otra para ti, y aún nos sobra una. Puede venir un amigo de Tony, o una amiga tuya. Mónica, por ejemplo.

De repente, Kika se ha puesto nerviosísima. Aunque no es de extrañar… Rápida como el rayo, empieza a maquinar un plan que, por cierto, tiene muy poco que ver con su amiga Mónica…

Dani interrumpe sus reflexiones:

—Lo importante es convencer a papá o a mamá de que nos acompañe. Porque a

Tony no le dejarán ir sin un mayor, y a mí seguro que tampoco.

—Deja que yo me encargue de eso… —dice Kika, y sale como una flecha hacia la cocina.

Pero una vez allí, sufre una amarga decepción. Por más que Kika y Dani suplican, su madre no se deja ablandar.

—¿Yo al fútbol? ¡Jamás de los jamases! Y tampoco contéis con vuestro padre. Ya hemos hecho planes para el domingo.

Abatida, Kika regresa a su cuarto.

—Déjame sola, por favor —le ruega a su hermano—. Ahora necesito calma para pensar.

Capítulo 3

Kika se rompe la cabeza buscando la forma de ir a ese partido... con Andrés, por supuesto. Pero como no se le ocurre nada, decide que ya es hora de echarle un vistazo a su libro de magia.

Para asegurarse de que nadie pueda molestarla, coloca una silla debajo del picaporte de la puerta. ¡Así ni siquiera Dani conseguirá interrumpirla!

A continuación saca el libro de hechizos de su escondite debajo de la cama. Los conjuros y encantamientos aparecen por orden alfabético, pero... ¿por qué letra empezará el hechizo para convencer a los padres de que acompañen a sus hijos a un

partido de fútbol? La cosa parece difícil…, aunque de pronto le viene a la mente el conjuro para cambiar la *voluntad* de la gente. Lo encuentra en la letra «V».

La descripción es fácil de entender, pero la fórmula mágica correspondiente debe recitarse al derecho y al revés, y esto último ya no es tan sencillo. Además, debajo del hechizo figura una advertencia:

ψ *¡CUIDADO*
CON EL EFECTO INVERSO! ψ

Kika ya empleó una vez ese conjuro para conseguir que Dani le cediera su entrada para ir a una función de circo, y la verdad es que dio resultado sólo a medias: con la fórmula mágica invirtió la voluntad de Dani, pero también todo lo demás...

Al principio resultó divertido, porque su hermano empezó a hablar de una forma muy rara. Por ejemplo, en lugar de «Me gusta jugar al fútbol» decía *«Ge musta fugar* al *jútbol»,* y cosas así. Pero, con el tiempo, el efecto inverso fue haciéndose más y más potente y al final dejó de tener gracia.

No, en esta ocasión Kika prefiere no cambiar la voluntad de sus padres para no arriesgarse a provocar un catastrófico efecto inverso, de manera que sigue hojeando el libro de magia.

En la letra «A» encuentra distintos hechizos amorosos. Empieza a leerlos rápidamente, y de pronto suelta una carcajada. ¡Acaba de recordar la vez que ensayó uno de ellos con la señorita Marina y nada menos que con un inspector de educación! El inspector se enamoró al instante de la profesora, y cuando Kika quiso anular el encantamiento, todos los chicos y chicas de la clase también empezaron a mirarse entre sí como auténticos tortolitos…

¡Aquello sí que fue un lío tremendo![1]

Lo cierto es que a Kika ya se le ha pasado por la cabeza emplear alguno de esos encantamientos amorosos para conquistar a Andrés, pero al final siempre ha acabado por rechazar la idea. Está decidida a conseguir que él se enamore de ella sin ayuda de trucos, porque, si no, nunca sabrá si ese amor es o no verdadero.

---

[1] Si quieres saber más cosas sobre los conjuros de efecto inverso y los de amor, consulta los libros *Kika Superbruja y la magia del circo* y *Kika Superbruja revoluciona la clase*.

De pronto, algo golpea estrepitosamente la puerta de su habitación. Como era de esperar, se trata de Dani.

—¿Por qué has cerrado la puerta, Kika? ¡Me he hecho daño! —grita enfadado.

Según su costumbre, Dani pretendía entrar como una tromba en la habitación de su hermana, y lo que menos se esperaba era que la puerta estuviese atrancada…

—¡Abre! —grita furioso mientras se frota el chichón que ha empezado a salirle en la frente.

—Te está bien empleado… —murmura su hermana con una sonrisa maliciosa.

Kika cierra a toda prisa su libro de magia, y sólo cuando lo ha puesto a buen recaudo le abre la puerta a su hermano.

—¿Se te ha ocurrido ya algo para que podamos ir al partido? —pregunta Dani.

Kika niega con la cabeza.

—Qué pena… —dice Dani—. Si nosotros no vamos, el padre de Tony le regalará las entradas a un amigo suyo. A lo mejor a él no le importa llevarse a Tony…

—¡Qué magnífica idea! —exclama Kika—. Mira que no habérseme ocurrido a mí… No tienen por qué ser papá o mamá los que nos acompañen al fútbol.

—Es verdad. Podemos preguntar a los abuelos… —sugiere Dani.

—Tú déjalo de mi cuenta —dice Kika.

La verdad es que no está pensando precisamente en los abuelos, sino… ¡en el padre de Andrés! Si es tan aficionado al fútbol como su hijo, seguro que estará encantado de acompañarles al partido.

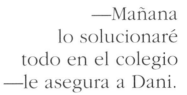

—Mañana lo solucionaré todo en el colegio —le asegura a Dani.

—Demasiado tarde… —replica su hermano—. Tenemos que contestar al padre de Tony hoy mismo o, si no, regalará las entradas.

—¡Porras! ¡Menudo fastidio!

—¿Qué vamos a hacer? —pregunta Dani.

—Necesito pensar con calma... —dice Kika, y al cabo de un momento añade—: Lo mejor será que ahora me dejes hacer una llamada a solas.

Como era de esperar, a Dani no le hace mucha gracia eso de la llamada «a solas», pero su hermana se muestra inflexible y él se ve obligado a salir del cuarto.

Kika se lleva el teléfono del pasillo a su habitación. Por suerte, el cable es bastante largo y cabe justo por debajo de la puerta, de manera que puede cerrarla. ¡Por nada del mundo quiere que su hermano escuche esa conversación!

Kika marca un número y, a los pocos segundos, su amiga Mónica está al otro lado de la línea.

—En estos momentos no debes hablar con Andrés bajo ninguna circunstancia —le aconseja Mónica—. Si no, pensará que le persigues...

—Bueno, ¿y qué importa eso?

—No es que esté mal, claro, pero sería preferible que no se diera cuenta de que te interesa, al menos por ahora. ¡Así son las cosas en el amor!

—Es que, si no hablo con él, tampoco podremos ir juntos a ese partido de fútbol. ¡Y ésa sería *la* ocasión!

—Ya, pero supongo que también te dará mucho corte que os acompañe su padre…, así que no te atreverás a proponérselo siquiera.

Mónica se equivoca… ¡Cuando Kika desea algo de verdad, se atreve a cualquier cosa!

Kika se ha dado cuenta de que los consejos de su amiga sólo consiguen ponerla nerviosa, así que se despide de ella y decide llamar enseguida a Andrés.

Marca rápidamente el número de teléfono. Desde hace catorce días se lo sabe de memoria. Contesta la madre de Andrés.

—Hola, soy Kika. ¿Podría hablar con Andrés, por favor?

Lo siento, pero no está en casa. Marta ha venido a buscarle.

—Perdone, ¿ha dicho Marta?

—Sí, Marta, su compañera de clase.

—Claro, claro, Marta…

—¿Quieres que le dé a Andrés algún reca-
do de tu parte?

—Sí, dígale que... Bueno, da igual... Y
perdone.

Kika cuelga a toda velocidad.

«¡Porras! ¡Otra vez la tal Marta!», piensa. «¡Y yo, tonta de mí, encima de que ha salido con otra, voy y le llamo!»

—¿Y ahora qué pasa? —grita Dani, impaciente, desde el otro lado de la puerta.

Kika no está dispuesta a darle muchas explicaciones a su hermano:

—Nada. Esto parece cosa de brujería… ¡No podría salir peor! —le dice tras abrir la puerta de golpe—. ¡Maldito fútbol! Yo no pienso ir a ese partido, así que llama a Tony para decírselo. A lo mejor su padre le regala las entradas a alguien que quiera llevaros a los dos…

Muy desilusionada, vuelve a dejar el teléfono en su sitio.

—¿Tan malo es? —le pregunta su madre, que de pronto asoma por el pasillo—. En fin, si ese partido es tan importante para ti, puedo reconsiderar mi postura…

—¡Bah! ¡Menuda memez eso del fútbol! —responde Kika antes de dar media vuelta para volver a su habitación.

Decide olvidarse del asunto y pone la radio a todo trapo. Por eso no oye sonar el teléfono unos minutos después.

—Es para ti —dice su madre, a la vez que le pasa el auricular.

Kika no da crédito a sus oídos. Nota que se pone colorada como un tomate.

Su madre baja el volumen de la radio y cierra la puerta tras ella no sin antes decirle a Kika:

—Imagino que no querrás que te molesten...

Kika se ha quedado sin habla. Su madre es realmente lista...

—¿Me has llamado? —resuena la voz de Andrés al otro lado de la línea telefónica—. ¿O no eras tú? La verdad es que no conozco a otra Kika… ¡Hola! ¿Sigues ahí?

¡Con esto sí que no contaba! Kika logra dominar sus nervios y al fin consigue explicarle a Andrés lo de las invitaciones para el partido de fútbol. Después de dos o tres preguntas del chico pidiendo aclaraciones, todo empieza a ir como la seda.

—Nos veremos mañana en el colegio. ¡Ah, y muchas gracias por todo, Kika! —dice Andrés al despedirse.

Kika cuelga el teléfono y corre a buscar a Dani. ¡Tiene que impedir que a su hermano le dé tiempo a llamar a Tony!

Afortunadamente, Dani no ha hablado aún con su amigo. ¡Menuda suerte! El padre de Andrés irá al partido con Tony, Dani, Kika y Andrés.

Loca de alegría, Kika empieza a dar saltos y a cantar a grito pelado.

A la mañana siguiente, Andrés y Kika se reúnen para charlar antes de que empiecen las clases. Al verlos juntos, Mónica abre unos ojos como platos. No ve el momento de preguntarle a su amiga cómo se las ha ingeniado para encontrarse a solas con Andrés. Muerta de curiosidad, Mónica decide acercarse a ellos.

—Hola, ¿qué tal? —les saluda amistosamente.

Pero Kika y Andrés no parecen haberla oído, porque siguen hablando como si nada. Entonces Mónica trata de llamar la atención de su amiga tirándole de la manga, pero Kika le lanza una rápida mirada que da a entender clarísimamente que no quiere que la molesten.

Sólo cuando suena el timbre que señala el comienzo de las clases, Kika por fin se digna a explicárselo todo a su amiga.

—Me alegro por ti —dice Mónica—. Pero procura que no te rompa el corazón…

—¡Qué tontería! Quien debe procurar no romperse nada es él. Como jugador, es fundamental para el equipo del cole. ¡Este año tienen que ganar el campeonato!

En el recreo, Kika se une al grupo de Andrés y los otros jugadores del equipo del colegio. Y, por primera vez, logra deslumbrar a todos con sus conocimientos especializados en tácticas futbolísticas. Andrés no es el único que parece impresionado, sino que Borja también la mira con la boca abierta.

—¿Por qué no le pedimos a la señorita Marina que incluya a Kika en el equipo como asesora técnica? —propone—. ¡Seguro que dejaría patidifusos a todos los comentaristas deportivos de la televisión!

Borja tiene razón. La sabiduría de Kika en materia de fútbol es realmente increíble…, ¡y sin necesidad de brujerías!

La verdad es que, después de su conversación con Andrés la pasada noche, Kika se pasó varias horas leyendo su libro sobre tácticas y *sistemas* futbolísticos, y ahora está deslumbrando a todos los componentes del equipo del colegio con una auténtica conferencia magistral sobre el cerrojo defensivo italiano, sobre la distribución escalonada del espacio de juego, sobre el *pressing,* sobre la defensa «inglesa»…

Los días siguientes transcurren muy felices para Kika. Asiste a dos entrenamientos del equipo del colegio y trabaja codo con codo con la entrenadora, la señorita Marina.

—La verdad es que tenemos un equipo estupendo —dice la profesora—. Ojalá no se lesione nadie…

Kika aprovecha las noches para ampliar sus conocimientos sobre fútbol. Ahora entiende la mayoría de las palabras técnicas de su libro y, con el tiempo, llega a ver con otros ojos los partidos de la tele. No es de extrañar que la señorita Marina acepte muchas de sus sugerencias en los entrenamientos.

Sólo quedan dos semanas para el campeonato municipal, y a pesar de que el equipo se siente preparado, los ánimos están muy tensos.

Kika también está muy nerviosa, aunque por otra razón: su cita con Andrés para ir juntos al partido internacional…

Por fin llega el gran día, y Kika está sentada nada menos que en la tribuna principal del estadio. A su lado, Andrés, luego el padre de éste, Tony y Dani.

El partido no ha comenzado todavía, y los cinco entretienen la espera bebiendo un refresco.

Por los altavoces del estadio suena una alegre música que, de pronto, se ve interrumpida por una voz:

—¡Queridos aficionados, bienvenidos! To-
das las localidades de nuestro estadio,
cuyo aforo es de cincuenta y ocho mil espectadores, están ya ocupadas. Damos la
bienvenida al equipo visitante y a nuestra
selección nacional. Confiamos en asistir a
un emocionante y deportivo encuentro de
clasificación para el campeonato del mundo de fútbol. También quisiéramos dar
una cordial bienvenida a nuestros invita-
dos de honor: el presidente del gobierno,
el de la federación nacional de fútbol y el
capitán honorífico de nuestra selección,
que tantas victorias proporcionó al equipo
nacional…, ¡«Chupinazo» López, el rey del
balompié!

Los espectadores, puestos en pie, aplauden a rabiar.

Como es lógico, Kika conoce a «Chupinazo» López de haberle visto por televisión.

Dani, muy impresionado, exclama:

—¡Un rey de verdad! Si papá y mamá llegan a saberlo, seguro que también hubieran querido venir. ¿Llevará también corona?

—No es un rey de verdad —le explica Kika riendo—. Le llaman así porque jugaba de una forma insuperable. Era un súper-líbero, posiblemente el mejor del mundo.

Dani no comprende una sola palabra:

—¿Un líbero?

—Sí. Un líbero es un jugador de la línea de la defensa que no tiene un oponente al que marcar. Se mueve de un lado a otro y tapa los espacios libres —dice Kika.

—Es, como si dijéramos, un defensa libre que interpreta el papel de bombero «apagando fuegos» como último hombre al fondo y barriendo las pelotas —añade Andrés.

—Yo creo que hace todavía más… —replica Kika—. Un líbero organiza la defensa. Y como el entrenador no le adjudica un rival fijo, puede intervenir también sin problemas en el ataque. Juega en profundidad y reparte los balones. En la actualidad, ya casi no existen auténticos líberos… Las tácticas modernas reducen mucho los espacios para todos los jugadores, y hoy día, a alguien como «Chupinazo» López probablemente no le dejaran pasar de la línea del medio campo. Así que la táctica del líbero está bastante anticuada.

—Pero era muy vistosa… —interviene el padre de Andrés, antes de añadir con tono de aprobación—: Felicidades, Kika. ¡Eres una auténtica experta en fútbol!

—Y, además, la asesora técnica de nuestro equipo del cole —añade Andrés con orgullo.

—En ese caso, ¡tenéis el campeonato prácticamente en el bolsillo! —comenta su padre con una sonrisa.

Kika nota cómo Andrés se acerca un poquito más a ella, y siente un cosquilleo en la barriga.

El padre de Andrés todavía añade algo más, pero sus palabras apenas se escuchan porque de repente estalla un aplauso atronador. ¡Los dos equipos entran corriendo en el terreno de juego!

Kika se ha levantado de un salto y aplaude a su vez. ¡Es fantástico! La sensación de estar en medio de tanta gente entusiasmada le pone la piel de gallina.

—¡Ahí está nuestro Pepón! —grita el padre de Andrés mientras aplaude como un loco—. ¡Pepón Sánchez, el capitán del equipo! En los vestuarios, todos le llaman el *lapa,* porque cuando se pega a un rival ya no lo suelta…

Los equipos forman dos largas filas en medio del campo e intercambian banderines mientras el locutor del estadio presenta a los tres árbitros. Y entonces se hace el silencio total, ya que por los altavoces suenan uno tras otro los dos himnos nacionales. El momento es realmente solemne. Pero apenas se han extinguido los ecos del último himno, vuelven a estallar los gritos de júbilo. Y entonces el árbitro principal toca el silbato para indicar el inicio del partido.

Al principio, los equipos empujan el balón de un lado a otro casi con timidez. El ataque y la defensa se suceden sin que se produzcan notables oportunidades de gol. El entusiasmo inicial del público se desvanece muy deprisa porque el espectáculo se vuelve demasiado aburrido. Y es que llevan ya un cuarto de hora dando balonazos sin ton ni son…

—Parecen dispuestos a pasarse el partido tanteándose —se queja Andrés—. Deberían arriesgar algo más y lanzarse hacia delante…

—Necesitamos un gol —comenta su padre—. ¡Incluso no me importaría que nos lo metieran a nosotros, a ver si así se anima la cosa!

Kika tampoco se divierte demasiado, pero a pesar de todo replica:

—Seguro que el entrenador ha ordenado al equipo que juegue a la defensiva para evitar que les metan pronto un gol, porque si eso ocurriera, las cosas se nos pondrían muy feas…

—Pero este interminable peloteo tampoco es solución, ¿no crees? —dice Andrés.

Como si los jugadores le hubieran escuchado, en ese momento se produce un gol. Sólo que, por desgracia, es en contra de la selección nacional. El estadio se queda mudo. Y, lo que es peor, los jugadores siguen sin despabilarse. Más bien al contrario, parecen completamente turulatos. El equipo visitante empieza a atacar en serio.

Kika nota cómo el corazón empieza a latirle desenfrenado. Por lo menos, el partido se está poniendo interesante…

—¡Ahora es cuando tendríamos que meter un gol! —exclama.

—El tanto del empate sería muy importan-te sobre todo ahora, justo antes de que

suene el pitido final del primer tiempo…
—dice Andrés.

Su padre grita enfadado:

—¡Pero si están dormidos!

Pero el gol del empate no llega. El equipo visitante ha resultado ser más fuerte de lo que todos pensaban.

¿Acabará derrotada la selección nacional? Eso sería terrible, porque quedaría excluida del campeonato del mundo…

Capítulo 4

Fin del primer tiempo. El equipo nacional pierde por uno a cero. Los espectadores discuten acaloradamente en las gradas.

—Conque daba igual quién marcase el primer gol, ¿eh? —exclama Andrés, volviéndose hacia su padre—. Ahora sí que la hemos liado. ¡Podías haberte quedado calladito…!

—¡Ni que yo fuera un mago! —replica su padre entre risas—. Aunque, por intentarlo, que no quede —y empieza a repetir como un papagayo—: Quiero que nuestro equipo marque el próximo gol, quiero que nuestro equipo marque el próximo gol, quiero…

—Entonces estaríamos empatados. ¿Y quién marcaría el siguiente? —pregunta Tony.

El padre de Andrés hace como si reflexionara. Al parecer, Tony y Dani se han creído eso de que, simplemente con formular sus deseos en voz alta, puede determinar el curso del partido.

—¡Di que nuestra selección, porfa, anda, porfa! —suplica Dani—. ¡Di que vamos a marcar los diez próximos goles!

—Bueno, hombre, tampoco tienen que ser tantos… Yo me conformaría con dos.

—Pero sólo si no nos meten otro más —añade Andrés.

—Seguro que el entrenador les está dando un buen tirón de orejas a los nuestros durante el descanso —dice Kika.

—¿Y las tendrán más largas cuando vuelvan a salir? —pregunta Dani.

98

Pero nadie le contesta, porque en ese momento los dos equipos reaparecen en el campo. Kika nota cómo su corazón vuelve a latir al galope. ¡La verdad es que eso de ir al fútbol es de lo más emocionante! Ya ha decidido que ésa no será su última visita a un estadio, acabe como acabe el encuentro de hoy.

Esa misma mañana, Kika ha buscado durante mucho rato en su libro de magia un hechizo de fútbol…, pero ha sido en vano. Sin embargo, está segura de que tiene que haber algún truco con el que poder influir en un partido, aunque por el momento no se le ocurre nada. Además, su libro de magia está en casa…

De repente, estalla una ovación. ¡El gol del empate! Ha sucedido con tanta rapidez que Kika ni siquiera se ha enterado.

La alegría de los espectadores es enorme.

—¡Todavía podemos conseguirlo! —grita Andrés entusiasmado.

—Yo no me he enterado bien de cómo ha sido —dice Kika.

—Es que tampoco ha habido una preparación de la jugada —le explica Andrés—. Ha sido un tiro desde lejos del número siete, «Patadón» Ruiz, que ha disparado sin pensárselo dos veces. ¡Bum! ¡Un trallazo de «Patadón»! ¡Imparable…!

El juego se desarrolla cada vez con mayor rapidez. Los dos equipos se emplean a fondo, pero, como si todo se empeñara en ponérseles más difícil, de pronto comienza a llover.

¡Y de qué manera! Un auténtico aguacero. ¡Menos mal que Kika, Andrés y los demás están a cubierto bajo la tribuna! Los pobres jugadores, sin embargo, resbalan sobre la hierba mojada y al poco tiempo están hechos una sopa.

Kika mira su reloj. Sólo queda media hora de juego…, y sólo con un empate, la selección nacional no tiene asegurada la clasificación para el campeonato del mundo.

—¡El entrenador debería sacar al número tres, «Bombardero» Pérez! —exclama el padre de Andrés.

—Exacto —opina Andrés—. «Bombardero» siempre marca los goles decisivos cuando sale en sustitución de algún jugador.

En ese preciso momento, el entrenador del equipo nacional saca al jugador número tres, como si quisiera seguir el consejo del padre de Andrés.

Los espectadores, entusiasmados, cantan a coro:

—¡Bom-bom-bom, «Bom-bar-de-ro»! ¡Bom-bom-bom, «Bom-bar-de-ro»!

Poco después ataca la selección nacional. Con un largo pase, el jugador número doce envía el balón desde la defensa al centro del campo. El número cinco lo recibe y se lo pasa al ocho, que acecha ya en la frontera del área contraria.

Éste
devuelve
al cinco, que
entre tanto
ha llegado
corriendo por
la banda derecha.
Desde ahí, y con un
prodigioso taconazo, regatea
a un defensa y lanza un pase
para preparar el gol. Pero no
ha tenido en cuenta la hierba
mojada, y el balón resbala
hacia la línea de fondo.

Afortunadamente, el número ocho lo captura y desde la esquina logra centrarlo hacia la portería enemiga. Allí se encuentra el número siete, que da un salto y de un excelente cabezazo coloca el balón justo en la escuadra. Con una impresionante parada, el portero lo despeja con los puños hacia el área…

Pero «Bombardero» Pérez, atento al rechace, se deshace de dos marcadores, para el balón con el pecho, lo deja caer sobre su rodilla derecha y lo inserta con el empeine en el fondo de la portería.

El júbilo de la afición es indescriptible. Los jugadores del equipo nacional, locos de alegría, saltan sobre el autor del gol para felicitarlo. En la tribuna, los espectadores se abrazan, se besan, bailan…

Tras el estallido de alborozo, el juego continúa. ¡Se ha convertido en una auténtica batalla bajo la lluvia! El equipo visitante despliega nuevas fuerzas y acecha una y otra vez la portería rival. La selección nacional está prácticamente recluida en su propia área. Además, el aguacero arrecia y las acciones en el campo son cada vez más difíciles de controlar. Los defensas no paran de resbalar y de tropezar con el balón, y el gol del empate parece inminente. Por fortuna, la lluvia también entorpece el ataque de los rivales.

—¡Esto no es fútbol…, es una lotería! —grita enfadado el padre de Andrés al ver cómo la pelota patina descontrolada de un lado a otro del campo.

105

—¿Por qué no se interrumpe el partido? —quiere saber Kika—. Sería mucho más justo. ¡Más que fútbol, lo de ahí abajo parece un ballet acuático!

—¡De eso nada! —replica Andrés—. Si el árbitro interrumpiera el juego ahora, el partido tendría que empezar de nuevo, y con el resultado de cero a cero.

—Sí, y eso sería terrible para nosotros... —añade su padre—. Ya hemos visto que nuestro rival es un hueso duro de roer, y si hubiera que comenzar de nuevo el encuentro, quizá el resultado nos fuera desfavorable y tendríamos que despedirnos de la clasificación.

Kika ve cómo el árbitro se seca una y otra vez la cara y mira de forma alternativa al cielo y a su reloj. Todavía quedan doce minutos para que finalice el partido.

Tremendas ráfagas de lluvia azotan la hierba del campo de juego.

Nueve minutos todavía… Los jugadores del equipo visitante patinan, resbalan y avanzan a duras penas sobre el área contraria.

«Si al menos tuviera la fórmula de un hechizo seco…», piensa Kika, resignada a esperar que la selección rival no meta un gol y a que el árbitro no interrumpa el juego con unos toques de silbato.

Los minutos transcurren
con desesperante lentitud.
Aún faltan siete…
¡Hay que aguantar como sea
con el resultado!

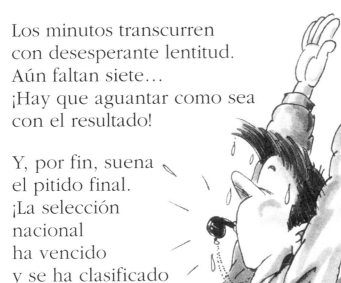

Y, por fin, suena
el pitido final.
¡La selección
nacional
ha vencido
y se ha clasificado
para el campeonato
del mundo!

—¡Ha sido como una auténtica película de suspense! —exclama Andrés, y de puro contento le planta un besazo en la mejilla a Kika.

Todos vuelven a darle las gracias a Tony por las entradas y regresan a casa locos de alegría.

Esa misma noche, Kika y Dani les cuentan con pelos y señales a sus padres cómo ha sido el partido.

Kika está impaciente por contárselo todo también a Mónica, incluido el beso de Andrés, por supuesto. Se lo ha dado en la mejilla izquierda, y está dispuesta a no lavarse ese lado de la cara en mucho tiempo...

Los días siguientes ya no son tan emocionantes. Andrés no vuelve a besar a Kika, pero los dos pasan bastante tiempo juntos. Como es lógico, ella asiste a todos los entrenamientos del equipo del colegio, y sus celos de Marta han desaparecido como por arte de magia.

Sin embargo, justo tres días antes del gran torneo ocurre algo espantoso...: Andrés cae enfermo de repente. ¡Paperas! Y, lo que es peor, no sólo él queda fuera del equipo, sino que también otros dos importantes jugadores deben guardar cama.

Kika no puede creer en su mala suerte. Pero la que de verdad está hecha polvo es la señorita Marina, que incluso llama a la administración escolar para pedir un aplazamiento del campeonato. Le bastaría con tres semanas, porque las paperas rara vez duran más de diez días, pero la administración escolar permanece firme y rechaza su petición.

Total, que el equipo tendrá que participar en el torneo sin esos tres importantes jugadores.

La mañana del campeonato, Kika dedica un buen rato a empollarse el libro de magia. Ninguno de sus hechizos parece ser el adecuado para conseguir el triunfo de su equipo, pero, a pesar de todo, toma notas y más notas hasta que Dani la interrumpe.

—¿Qué son las paperas? —pregunta.

—Una enfermedad infantil en la que te duelen mucho los oídos —le explica su hermana—. Es muy contagiosa. Seguro que a Andrés se la pegó Tony.

—¡Pero si Tony no tiene paperas!

—Pero su hermana sí, y él se ha limitado a transmitir la enfermedad. Eso suele pasar. Probablemente Andrés se la contagió luego a los otros dos jugadores del equipo.

—¿Y por qué no la hemos cogido nosotros?

—Pues porque hemos tenido buena suerte, o porque ya la hemos pasado, aunque seguro que no tan fuerte como ellos y no nos hemos dado cuenta —contesta Kika—. Cuando has tenido paperas una vez, ya no puedes cogerlas de nuevo, ¿sabes?

Dani asiente, satisfecho con la explicación.

—Ahora tengo que irme —dice Kika—. Mi obligación es animar al equipo, aunque apenas tengamos posibilidades de ganar…, o mejor dicho, ¡precisamente por eso! ¿Vienes conmigo?

Por supuesto, Dani acompaña a su hermana, y también Tony y varios amigos más.

A Kika le espera una sorpresa. Otro jugador más se ha puesto enfermo y la señorita Marina le pide que salga al campo en su lugar.

Ya se han sorteado los emparejamientos. Jugarán en dos grupos, y los vencedores de cada grupo disputarán la final.

En el primer partido, el equipo de Kika consigue la victoria. Pero la verdad es que su rival jugaba tan mal que casi daba pena.

En el segundo partido, en cambio, el equipo de Kika cosecha una amarga derrota.

Y en el tercer partido, el equipo contrario también es claramente superior, aunque al final se arruga… ¡Una suerte!

A pesar de todo, poco antes del pitido final, el equipo de Kika sigue perdiendo por uno a cero. Aunque todos luchan como leones, el empate se les resiste…

Ya sólo quedan tres minutos para que finalice el encuentro. Kika anima a gritos a sus compañeros cuando, de repente, recibe la pelota justo en el área pequeña enemiga.

Un enorme defensa echa a correr hacia ella con cara de muy malas pulgas.

—¡Vamos, microbio, suelta ese balón si no quieres que te haga papilla! —la amenaza.

Kika se queda paralizada, aunque enseguida murmura el hechizo de los fondillos del pantalón… ¡Entonces el árbitro y todos los jugadores de ambos equipos se caen de culo al suelo!

Como es lógico, a Kika no le hace efecto el hechizo, de modo que chuta y… ¡el balón entra en la portería!

El árbitro señala el centro del campo. ¡Empate a uno!

El equipo de Kika empieza a animarse, aunque la alegría es más bien contenida porque saben que con ese resultado no basta. Para ser los vencedores de su grupo necesitan imperiosamente la victoria, ¿y cómo van a conseguirla en los dos minutos que quedan para que finalice el encuentro?

Además, Kika no puede volver a utilizar el hechizo de los fondillos del pantalón porque todos se darían cuenta de que en tanto resbalón hay gato encerrado… Y, por encima de todo, ella quiere seguir siendo una bruja secreta.

De pronto, Kika se fija mejor en el gigantón del defensa que antes se ha atrevido a llamarla «microbio». La verdad es que le resulta conocido…

Los minutos avanzan y suena el pitido que señala el final del encuentro. El equipo de Kika, desanimado, abandona el campo. Han quedado segundos de su grupo, pero eso no basta para participar en la final.

La señorita Marina trata de consolar a sus jugadores en los vestuarios, pero Kika reclama su atención y se la lleva aparte. Tiene que discutir urgentemente un asunto con ella. Ahora sabe muy bien por qué le suena tanto ese defensa con cara de malas pulgas…

—¿Estás completamente segura? —le pregunta la señorita Marina—. Ya sabes que es una acusación muy grave…

—Estoy segurísima —responde Kika—. Ese defensa tan grandote, y también un delantero muy alto… ¡Esos dos hace mucho que dejaron de estar en Primaria! Cuando fui a un torneo de equitación con Mónica, ellos participaban en categoría de mayores…

—¡Eso va contra el reglamento! —se indigna la señorita Marina.

Las dos corren a entrevistarse con el entrenador del equipo contrario y, tras una breve charla, se dirigen a los jueces del torneo. Y entonces sale todo a relucir…

Kika tenía razón. El otro entrenador incluyó en su equipo a esos chicos mayores porque dos de sus mejores jugadores habían caído enfermos, aun sabiendo que con ello iba en contra del reglamento.

Los jueces conceden la victoria al equipo de Kika, lo que le convierte automáticamente en campeón de su grupo. ¡Eso significa que participarán en la final!

Pero su alegría no dura demasiado. Poco después de comenzar la final, el equipo de Kika pierde ya por dos a cero..., y al término del primer tiempo van seis a uno...

—Al menos hemos conseguido llegar a la final —dice la señorita Marina durante el descanso—. Quedar subcampeones ya es algo, ¿no os parece?

Kika está muy deprimida.

—¡Vamos, chicos! ¡Levantad esos ánimos! —exclama la señorita Marina—. Si perdemos, que al menos sea con dignidad...

El árbitro toca el silbato para indicar el comienzo del segundo tiempo, y poco después el equipo de Kika ya pierde por siete a uno. Para colmo, empieza a llover.

Y justo en ese momento, a Kika se le ocurre una idea: «Cuando el árbitro interrumpe el partido a causa del mal tiempo, hay que jugarlo más adelante… Y se vuelve a empezar con el marcador cero a cero…»

Saca disimuladamente una notita del bolsillo de su pantalón y poco después un trueno estalla sobre el campo. Y luego otro, y otro, y un tercero… Kika no para de recitar el hechizo en voz baja.

Al final se desencadena la mayor tempestad que jamás se ha visto en la ciudad. Los truenos son tan fuertes que casi impiden oír los pitidos del árbitro anunciando la suspensión del partido, y los jueces acuerdan que la final vuelva a disputarse dentro de tres semanas.

—Si Kika no se hubiera dado cuenta de que en el partido anterior los otros habían empleado tácticas antirreglamentarias, ni siquiera hubiéramos llegado a la final —dice la señorita Marina.

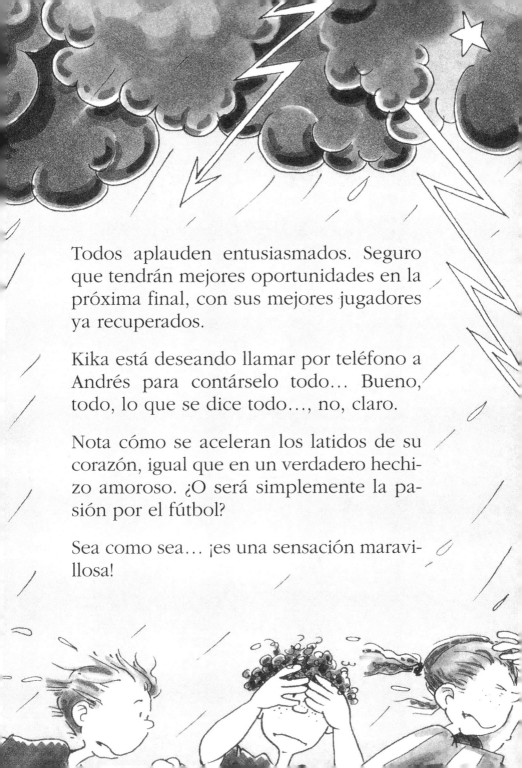

Todos aplauden entusiasmados. Seguro que tendrán mejores oportunidades en la próxima final, con sus mejores jugadores ya recuperados.

Kika está deseando llamar por teléfono a Andrés para contárselo todo… Bueno, todo, lo que se dice todo…, no, claro.

Nota cómo se aceleran los latidos de su corazón, igual que en un verdadero hechizo amoroso. ¿O será simplemente la pasión por el fútbol?

Sea como sea… ¡es una sensación maravillosa!

Truco futbolístico

«El túnel de piernas»

Os preguntaréis qué pinta un túnel en un campo de fútbol, ¿verdad? Bueno, pues Kika Superbruja puede explicároslo. Al fin y al cabo, ella ha aprendido mucho con ayuda de su libro sobre tácticas futbolísticas.

Si queréis convertiros en auténticos profesionales del balompié, tendréis que aprender a manejar el balón con mucha habilidad. Porque eso de chutar y que la pelota salga completamente derecha no es nada fácil… Podéis practicar así:

Varios jugadores de un equipo —tienen que ser al menos seis— se ponen uno detrás de otro con las piernas abiertas. El primer jugador chuta el balón para introducirlo por el túnel de piernas. El jugador del final para la pelota y avanza pasando junto a los demás hasta colocarse el primero. Desde allí introduce la pelota de nuevo por el túnel de piernas, y así sucesivamente. Lo importante es que el balón se deslice por el túnel sin rozar las piernas de los jugadores. ¡Veréis qué divertido!

Truco futbolístico
«El rey de los goleadores»

Los jugadores —necesitáis de nuevo un mínimo de seis— se cogen de la mano y forman un círculo. En el centro se coloca el balón. Ahora cada uno intenta chutar la pelota fuera del círculo a través de las piernas de los demás. Mientras tanto, no podéis soltaros bajo ninguna circunstancia. Quien lo haga, recibirá primero la tarjeta amarilla, y a la segunda infracción, la roja. El que consiga meter el mayor número de goles será el rey, o la reina, de los goleadores. ¡No os podéis imaginar los empujones y regateos tan divertidos que se producen con este juego!

Truco futbolístico

«Nudo de piernas»

Si al regatear queréis dejar patidifuso a alguno de vuestros rivales, practicad el siguiente truco:

Colocad la pelota en el suelo algunos metros delante de vosotros. Coged carrerilla y saltad sobre el balón de forma que lo sujetéis con un pie por detrás y con el otro por delante. Todavía corriendo, saltad con las dos piernas a igual altura. Tenéis que seguir sujetando el balón y levantar las piernas hacia atrás todo lo que podáis.

Cuando estén arriba del todo, soltad el balón. Saldrá volando por encima de vosotros y podréis seguir avanzando hacia la portería contraria sin ser molestados. Vuestros atónitos rivales sólo podrán seguiros con la mirada…

Para que os salga bien este truco tenéis que practicar mucho, pero el esfuerzo merece la pena. ¡Sólo debéis tener cuidado de no haceros vosotros mismos un «nudo de piernas»!

¡Hola!

Este que ves en la foto soy yo. Me llamo KNISTER, y soy el autor de las aventuras de Kika Superbruja.

Como siempre me ha gustado vuestro mundo, el de los chicos y chicas como tú, he escrito muchos libros y canciones para vosotros, y también obras de teatro.

Me encanta presentar programas de lectura en la tele, la radio, las bibliotecas, los teatros y las librerías de mi país (que, por cierto, es Alemania), y también disfruto mucho cuando realizo trabajos para chicos y chicas que son discapacitados psíquicos, o disléxicos, o ciegos..., todos ellos de tu misma edad.

Pero lo mejor de todo es cuando vosotros participáis conmigo en lo que hago, leyendo mis libros y compartiendo las aventuras de los personajes que los protagonizan.

En esta ocasión he querido presentaros a Kika Superbruja. Como es una bruja supersecreta, me costó bastante que me explicara sus trucos de magia, pero al final lo conseguí. Aunque..., no sé por qué, pero me da la impresión de que Kika Superbruja no me ha contado todos sus supersecretos... ¡y a lo mejor todavía le quedan unos cuantos hechizos guardados en la manga!

Índice

Trucos futbolísticos

Los libros de KNISTER

KNISTER
Te lo prometo

Ilustraciones de Eve Tharlet

Bruño

alta mar

Willy, la mosca
Knister
141

El huevo prehistórico
Knister
149

Bruño

quique&lucas
locopilotos